KB096412

가장 빛났던 1년

발 행 | 2024년 02월 07일
저 자 | 구자담, 김다해, 김래훈, 김아인, 김찬영, 문정민, 송로하, 신희경, 심은유, 안소현, 양이수, 양지율, 양진우, 오윤우, 윤원상, 이서우, 이지나. 임지우, 장윤진, 정라은, 진미성
펴낸이 | 한건희
엮은이 | 임정호
펴낸곳 | 주식회사 부크크
출판사등록 | 2014.07.15.(제2014-16호)
주 소 | 서울특별시 금천구 가산디지털1로 119 SK트윈타워 A동 305호
전 화 | 1670-8316
이메일 | info@bookk.co.kr

ISBN | 979-11-410-7098-4

www.bookk.co.kr

CONTENT

머리말

아이들과 한 해를 살아오며 여러 이야기를 나누었습니다. 내 마음을 파고드는 여러 가지 감정에 대해, 우리가 겪고 있는 다양한 상황에 대해, 부모에 대해, 친구에 대해, 과거와 미래에 대해, 아이들과 이야기를 나누기 위해 서로의 경험을 나누고, 때로는 책과 영화를 함께 보기도 하고, 때로는 뉴스를 보며 세상 돌아가는 이야기를 들려주기도 하였습니다. 이야기를 나누며 저와 아이들은 함께 성장했습니다. 그리고 아이들은 그 순간을 기억하고 기록했습니다. 그렇게 아이들은 1년 동안 스무 편이 넘는 글을 썼습니다. 그리고 이 책에 자신이 쓴 글 가운데 두세 꼭지의 글을 싣고자 신중하게 고심하였습니다. 아이들 스스로 책의 표제와 부제를 짓고 그간 글을 쓰며 느꼈던 감정을 쏟아냈습니다. 누군가는 괴로워했고 누군가는 즐거워했습니다. 아이들 각자 느낀 바는 다르겠지만 모두가 열과 성을 다했던 시간이었음은 부정할 수 없었습니다. 우리 모두에겐 빛났던 시절과 어두웠던 시절이 있습니다. 시간이 흘러 아이들이 2023년을 되돌아봤을 때 이곳이 빛나는 순간 중 한 장면으로 기억할 수 있게 되기를 바랍니다.

2023년의 완주 청완초등학교 4학년 3반 아이들에게 드립니다.

제주도 간 날

구자담

할아버지 호텔에서 한밤 자고 바로 공항으로 갔다. 차를 놓고 가야 해서 걱정이었다 제주도는 처음 가는 곳이라 기대를 하고 있었다. 내가 고소공포증이 있어서 비행기가 무서웠다. 제주도에 도착해서 렌터카를 빌리러 갔다. 꽤 멋있는 차였고 첫 번째로 바다를 가서 돌도 던지고 돌탑도 쌓고 현무암이 많아서 1개 들고 왔다. 아빠가 편의점에서 과자를 사주신다고 해서 편의점에 들어갔다. 저녁이 되자 밥을 먹어서 갔다. 거기에는 강아지가 있었고 거기서 한우를 먹었다. 숙소에 가서 라면을 먹고 잠을 자고 서귀포 잠수함을 갔다. 거기서 잠수함도 타고 물고기도 구경했다 숙소에서 자고 아침이 되자 시장에 가서 물건을 사고 어느 가게에서 생선을 먹고 있는데 내가 와 너무 맛있다. 라고, 말했는데 생선을 공짜로 주셔서 다음에 또 와야지 라고 말했다.

티브이

구자담

안녕 나는 티브이 사람들을 행복하게 해주지 사람들은 나를 많이 본다. 같은 티브이 프로를 자주 보기도 한다. 그리고 내 파트너 리모컨은 숨바꼭질을 좋아한다. 사람들은 날가지고 싸우기도 한다. 나는 아빠 편을 더 많이 든다. 그리고 나를 새벽까지 보는 사람도 있다. 화면 보여주기 힘드니까 제발 새벽까지 보지 마세요. 그리고 아침 일찍 일어나서 티브이를 보지 말아주세요. 저도 에너지를 충전해야 합니다. 그리고 밥 먹으면서 티브이 보지 말아 주세요. 목을 놀려야 해서 너무 힘듧 너다. 그리고 신상 티브이를 추천합니다. 왜냐면 빛나기 때문이죠. 그리고 화면도 크고 화질도 좋고 기능이 더 많기 때문에

필통의 하루

나는 필통이다. 모든 사람은 날 많이 사용한다. 어떤 사람이 연필을 가져갔다. 간지러웠다. 이번에는 수많은 지우개 군단이 글씨 군단을 지우러 갔다. 글씨 군단이 지우개 군단을 막았다. 하지만 지우개 군단이 수없이 많아서 글씨 군단이 졌다 안타까웠다. 그중에 제일 강한 학용품은 바로 나! 필통이다. 연필 군단도 지우개 군단도 내 앞에서는 찍! 소리도 낼 수 없다. 하지만 나보다 더 강한 학용품은 바로 가방이다. 연필 군단이랑 지우개 군단은 내 입으로 나는 가방으로 들어간다. 물론 사람들보다는 아니지만.... 연필 군단이 사고를 쳤다. 나는 연필 군단들에 화를 냈다. 내가 너무 심한 것 같았다. 연필 군단에 화를 내서 미안하다고 말했다. 연필 군단이 괜찮다고 했다. 이젠 절대로 화내면 안 된다고 결심했다. 이제 내일은 사람들이 오니깐 쉬어야겠다.

서울에 갔다 온 날

김다해

4월에 나는 처음으로 서울에 갔다. 너무 기뻤다. 처음으로 간 곳은 청와대다. 청와대는 대통령이 살던 곳이다. 많은 대통령의 초상화가 있었고 그 대통령의 어머니 초상화가 그려져 있었다. 두 번째로 간 곳은 경복궁이다. 경복궁은 옛날에 태조 이성계가 살던 곳이다. 태조 이성계를 이어 많은 왕이 살았다고 한다. 세 번째로 간 곳은 롯데월드였다. 롯데월드는 실외도 있고 실내도 있다. 나는 실외로 가서 미니 자이로드롭도 타고 그 왜 많은 놀이기구를 탔다. 실외에서 실내로 와서 재미있는 놀이기구를 탔다. 그중에서 제일 재미있던 건 아마도 자이로드롭이 제일 재미있던 것 같다. 다음엔 더 서울을 재미있게 놀 것이다.

에너지를 절약하기 위한 방법

김래훈

에너지를 왜 절약해야 할까요? 에너지는 불, 물, 전기등 등 많은 게 있습니다. 불이 없다면 따듯해지지 않고, 동상이 걸릴 수도 있습니다. 물이 없다면 갈증으로 답답함을 느낄 수 있습니다. 전기가 없으면 집에 불도 켜지지 않고, 요리하지 못합니다. 에너지를 불필요 없이 쓰지 마세요. 에너지가 없어질 위기가 나중에 찾아옵니다. 에너지를 절약하는 방법은 물을 아끼고, 전기를 절약하고, 추울 땐 모닥불을 사용하거나 이불을 덮으시길 바랍니다. 그럼, 이제 에너지를 절약하는 법을 아시겠죠? 그럼, 이제 에너지를 절약하세요.

학교는 왜 가야될까?

김래훈

학교는 왔다 갔다 가야 하는데 홈스쿨은 집에서 하는 학교생활이기 때문에 일어나자마자 할 수도 있고 저녁에도 할 수 있습니다. 학교 선생님은 처음 볼 때 익숙하지 않지만, 홈스쿨은 부모님이랑 같이하는 거여서, 아주 익숙합니다. 그리고 과목을 배우지 않아도 됩니다. 왜냐하면 일단 국어는 우리나라 말이어서 배우지 않아도 됩니다. 또한 아기 때 들으면서 말하기 때문에 배우지 않아도 됩니다. 수학은 계산기를 쓰면 됩니다. 영어는 외국 갈 거 도 아닙니다. 그리고 만약 외국에 가면 번역기를 쓰면 됩니다. 과학은 자기가 실험하고 싶을 때 과학 동영상을 보면 됩니다. 음악은 들으면 되고, 체육은 운동하면 됩니다. 도덕은 착한 마음을 가지면 됩니다. 학교 선생님들은 숙제를 내줍니다. 학교에는 방과 후가 있습니다. 체육, 악기, 컴퓨터 등 많습니다. 방과 후는 6교시, 7교시, 8교시까지 있습니다. 방과 후는 힘듭니다. 학교에서는 많은 시간이 소모됩니다. 학교에는 선생님들이 많습니다. 체육 선생님, 영어 선생님이 있습니다. 그리고 새 학기 때 무서운 선생님이 될 수 있습니다. 하지만 홈스쿨은 부모님이기 때문에 무섭지 않습니다.

지구를 지키다

김아인

나는 코어 라는 영화를봤다. 자연에 대한 영화인데 인간 때문에 생기는 현상이 발생해서 피해를 받고있는데 그걸 막기위해 6명을 배로 보내고 그 6명은 계속 아래로 내려가서 핵폭탄을 터트려야 하는 상황 이다. 그 6명은 배 에다 핵폭탄을 넣어두고 점점 아래로 내려간다. 배는 뜨거운 에너지가 필요한 형식이다. 아래로 내려가는 중 점점 희생을 해야하는 상황이 오고 대수를 위해 소수가 희생해야 한다며 6명에서 5명으로 5명에서 4명으로 4명에서 3명으로 희생을 하였고 나는 그 장면에서 대수를 위해 소수가 희생하는 것이 아닌 소수를 위해 우리가 더 노력해야지라는 생각이 들었다. 영화 코어에서 중심은 아주아주 중요하다고 생각한다. 중심이 고장이 나면 희망이 있긴 하지만 성공률이 낮다고 생각한다. 그리고 많은 희생과 핵폭탄의 개수가 지구를 살렸다. 핵폭탄을 조금식 터트리고 타이머를 맞춰서 같이 터지게 끔 만들고 핵폭탄이 터지면서 물결이 생긴다. 그리고 많은 사람들이 그 6명을 보고 있었고 죽음의 슬픔과 성공의 기쁨 생각의 고민등 많은 감정을 느낄 것 같고, 성공을 했을 때 다시 올라가야한다. 올라가고 있는데 하와이 바다에 오니 갑자기 배가 멈추고 바다속이여서 내려갈수도 올라갈수도 없는 상황인데 핵폭탄을 터트려 코어를 작동시키는데 성공한 남은 2명은

- 11 -

이야기를 하며 구조를 기다릴 수 밖에 없었고 배 속에서 초음파 만 보낼뿐 그런데 그 장면을 보고 있는 많은 사람들이 배를 타서 구조를 하러 왔는데 배가 어디인지 모르는 상황에 처하고 해커가 좋은 아이디어를 생각해서 그 아이디어는 초음파 초음파버튼이 있으니 돌고래가 많은곳에서 배를 발견하고 드디어 구조를 하고 다행이 하늘을 볼 수 있는 두 사람 그 두사람은 멋진 영웅이고 내가 만약 그 두사람중 한사람 이라면 내가 지구를 지키는데 성공한 것이 감격스러울것이고 같이 지구를 지키기 위해 희생한 대원분들 덕분에 해낼 수 있었다고 생각을 할수도 있을 것 같고 혹은 희생하는 분들을 생각하며 슬픈감정을 나눌수도 있고 지구가 괜찮아져서 다행이라고 생각할수도 있었을 것이다. 다음에도 또 한경오염이나 지진, 폭발 등 자연이 파괴된다면 지구가 진짜 멸망될 수도 있겠다. 다시는 그런일이 없도록 노력을 할 것이다. 나 하나쯤은 안해도 괜찮겠지, 괜찮을거야 라고 생각하며 실천을 하지 않으면 지구의 골든타임이 7년밖에 안남았는데 더 줄어들 것이다 그러므로 꾸준히 실천하고 노력을 해보겠다고 다짐한다

행복 목욕탕

김아인

　행복 목욕탕 이림부터 행복해보이는 이름이다. 엄마 후타바 와 아빠 가즈히로 그리고 첫째딸 아즈미 그들은 한가족이였다. 그런데 갑자기 집을 나간 아빠 엄마 후타바 와 첫째딸 아즈미는 아빠 가즈히로를 찾지 못하고 1년뒤 아빠가 다시 돌아오는ㄷ네 사실 이 장면에서 이런 생각이 들었다. 왜 이제 오는건지 그리고 아즈미는 얼마나 놀랬을지 등등 생각을 했다. 그리고 그 뒤 한 여자아이가 따라 나왔다. 그 여자아이의 이름은 아유코 아빠는 이제 한 가족이라며 말 했고 아유코와 아즈미는 놀람과 당황 어색한 감정이였고 나도 엥? 이런 말이 나올정도였다. 아직 어색하지만 잘 지내보자는 마음으로 일상을 지내는데 사실 아즈미는 따 당하고 있었고 일진무리가 괴롭혔다. 나도 아즈미처럼 그럴까 두려웠다. 미술시간에는 아즈미 교복에 물감도 묻었다. 나도 저런 무리는 피해야겠다고 생각했다. 아즈미가 너무 불쌍해 보였다. 아즈미는 물감 때문에 엄마를 불렀다. 엄마가 오고 엄마는 무슨색이 좋냐고 물었고 아즈미는 하늘색이 좋다고 했다. 나도 하늘색을 좋아한다. 꼭 우리가 보는 하늘 같아서 이름이 하늘색 인가보다 엄마는 빨간색 이라고 했다. 집으로 돌아가고 다음날 아즈미의 교복이 사라졌다. 내가 이 사전에서 또 그 일진무리가 한것같다는 생각과 누가 범인인지의 생각이 들었다.

그리고 용기를 내 교복을 찾는 장면에서 나는 그런 용기를 못낼 것 같은데 아즈미는 엄마 덕분에 큰 용기를 낼 수 있는 것이 대단하다고 생각했다. 그리고 다른 장면도 기억난다 엄마가 맘에 걸려서 아픈장면이다 암 4기라는 말을 듣고 어떻게 라는 생각만 했다. 암4기면 이제 끝 이라는건데 너무 슬펐다. 그리고 아즈미가 엄마 나 배고파 라고 하는 대사에서 엄마도 힘들텐데 아즈미가 엄마를 기다리는게 안쓰럽게 보였다. 그리고 반전에 반전에 반전에 반전이였던 장면 4월25일날 아즈미에게 게 를 보내던 키미에 그녀는 아즈미에 친 엄마라는 것에 너무 충격을 받았다. 엄마는 키미에가 일하는 식당에서 게를 주문했다. 게가 나오고 맜있게 먹는 장면도 기억에 남았는데 너무 배고팠다. 그리고 황당하게 엄마 후타바는 아즈미의 친 엄마 키미에의 뺨을 때리고 그 장면을 보았을 때 왜 때리지? 라는 생각이 들었다. 그리고 아유코의 엄마가 쓴 편지를 보았을때와 엄마가 죽음을 맞이할 때 등등 많은 장면이 기억에 남는다. 마지막으로 등장인물들중 다 슬픈사연이 있었지만 그중에서도 사유코가 제일 불쌍했다. 이유는 엄마가 날 버리고 모르는 아저씨가 아빠라며 1년동안 같이 상고 모르는 사람들이 있는 익숙하지 않은 곳에서 살아야 한다는 점과 엄마는 나타나지않고 모르는 사람들이 또 나를 버릴까 두려운 마음 때문이다. 내가 아유코라면 너무 너무 무서워서 그 사람들을 피할 것 같다 일본 영화 행복 목욕탕은 내가 본 영화중 제일 반전이 많았던 영화이다.

손흥민처럼 되고 싶다

김찬영

나는 손흥민처럼 되고 싶어졌다. 손흥민은 100호 골 도달성 하고 그리고 달리기도 엄청나게 빠르다. 그리고 축구도 잘하기 때문에 손흥민처럼 되고 싶어졌다. 그리고 손흥민은 13분 만에 해트트릭도 달성한 내가 좋아하는 선수 중 한 명이다. 난 손흥민처럼 축구를 잘하고 싶은데 축구를 1주일 동안 안 했다가 축구하면 트롤이 되고 만다. 내가 달리기가 좀 빠른데 축구를 일주일 동안 쉬었다가 하면 잘 뛰지 못해서 그래서 나는 매일 축구를 매일 하고 싶은 학원이 6시에 끝나고 집에 6시 30분까지 가야 해서 겨울에는 그래서 축구 하지 못해서 화가 난다.

필리핀 간날

김찬영

엄마 친구랑 필리핀에 갔다. 필리핀에 가는데 공항에는 5시간 있었고 비행기에는 4시간 정도 있었다. 비행기에선 아무것도 할 수 없어서 지루했다. 그리고 숙소에서 하룻밤 자고 일어나서 수영을 하고 배를 타고 바다에서 물고기를 봤다. 그리고 돌고래도 봤다. 그리고 다시 수영을 했다. 그리고 킹크랩을 먹으러 갔다. 자고 일어나서 안경원숭이를 보러 갔다. 근데 안경원숭이가 가운뎃손가락을 펴고 있어서 안경원숭이에게 욕을 먹었다. 차를 타고 있었는데 동생의 모자가 날아가 버렸다. 그리고 사진 찍는 데에 갔는데 신발이 벗겨져서 바다로 떠내려가서 필리핀에서 사람들이 네가 신발 벗겨진 거 너 맞지 이래서 네라고 동생이 말했다.

에너지를 절약하는 방법

문정민

에너지를 절약하는 방법은 여러 가지가 있습니다. 첫째 밤에 잠을 빨리 자는 것입니다. 왜냐하면 밤에 잠을 빨리 자면 전기를 절약할 수 있기 때문입니다. 둘째 양치할 때 컵에 물을 받아서 쓰는 것입니다. 왜냐하면 양치할 때 컵에 물을 받아서 쓰면 물을 절약할 수 있기 때문입니다. 셋째 가까운 거리는 걸어가거나 자전거를 타는 것입니다. 왜냐하면 가까운 거리는 걸어가거나 자전거를 타고 가면 자동차나 오토바이에 사용되는 연료도 절약할 수 있고 자동차나 오토바이에서 나오는 매연으로 생기는 환경오염도 막을 수 있기 때문입니다. 이처럼 에너지를 절약하는 방법은 많습니다. 우리 모두 에너지를 절약합시다.

뱀

문정민

제가 좋아하는 동물인 뱀을 소개하겠습니다. 뱀은 파충강 뱀목 뱀아목에 속하는 동물의 총칭입니다. 그리고 파충류 중에서 가장 특수하게 진화한 동물군으로 몸이 가늘고 길며, 다리 눈꺼풀 귓구멍이 없습니다. 그리고 혀는 두 가닥으로 갈라져 있습니다. 중생대 백악기에 도마뱀과 같은 조상에서 갈라져 나온 것으로 추정됩니다. 그리고 다른 동물과 다르게 뱀은 좁은 체강에서 적응하여 내장 기관이 좌우가 아니라 앞뒤로 떨어져 있으며, 왼쪽 폐는 거의 기능을 하고 있지 않거나 퇴화하여 없어진 종이 많습니다. 영리한 동물로 묘사되는 뱀은 영원회귀 사상을 풀어나갈 수 있는 영리함, 강인함을 상징합니다. 뱀이 자기 꼬리를 물고 있는 모습이나 독수리를 원형으로 감싸고 있는 모습에서 죽음과 삶의 순환, 영원회귀 사상을 떠올릴 수 있습니다. 지금까지 제가 좋아하는 동물 뱀에 대한 소개였습니다.

현장학습 간 날

송로하

4월 26일 수요일에 전주 한옥마을로 현장학습을 다녀왔다. 첫 번째로 경기전을 갔는데, 한옥이 되게 예쁘고 날씨도 좋았다. 그다음에는 전동성당을 갔는데, 안에서 종려를 하고 있어서 들어가지 못해, 선생님께서 30분 정도 자유시간을 주셔서 모둠이랑 인생네컷을 찍고 빗과 볼펜도 샀다. 그리고 부채 만들기를 했는데, 부채가 조금 작았지만 그래도 그 정도에 만족했다. 부채 만들기를 한 다음, 도시락을 먹으러 가는데, 그 길이 너무 오르막이어서 등산하는 느낌이었다. 힘들게 오르고 나서, 도시락을 먹었다. 원래는 도시락을 다 먹고 선생님께서 자유시간을 40분~50분 정도 주신다고 하셨지만, 바람이 많이 불고 가는 길도 좀 오래 걸린다고 하여 자유시간을 가지지 못해 아쉬웠지만, 정말 재미있고, 기억에 남는 현장학습이 될 거 같다.

제주도 여행

송로하

8월 10일 목요일에 가족들과 제주도 여행을 일주일 동안 갔다. 제주도에 가서 많은 것들을 했다. 바다에 가서 태어나 처음으로 바다 수영을 하고 놀았다. 튜브를 타기도 하고, 때로는 튜브를 끼지 않고 수영을 했다. 그다음에는 스노쿨링도 해서 물고기도 봤다. 처음에는 바닷물이 짜고 무서워서 바다 수영을 해보지 못하다가 처음으로 바다 수영을 해서 나 자신이 놀라웠고, 신기했고, 처음으로 바다 수영을 한 곳이 제주도여서 너무 기뻤다. 그다음에는 숙소에 가기 전에 스누피 가든 이라는 곳에 갔다. 나는 스누피라는 캐릭터를 좋아하는데 그곳에 가길 잘한 것 같다. 또 그곳에 숨은 스탬프를 다 찍으면 상품을 준다. 나도 스탬프를 다 찍고 상품을 받았는데 그 상품은 스누피 캐릭터가 그려진 뱃지 였다. 스누피 가든을 다 구경하고 숙소로 갔는데 수영장이 있고, 건물 맞은편에 방이 1개 더 있어서 놀랐다. 그리고 그 숙소에서 이틀 있고 마지막 숙소에 가서 흑돼지도 먹고, 라면이랑 김치찌개도 먹었다. 소품샵도 갔는데 너무 예쁜 물건들이 많았다. 소품샵에 가서 친구 생일 선물을 사고, 엄마, 아빠가 나에게 선물을 사주었다. 제주도를 보통은 3박 4일로 갔었는데, 이번에는 일주일이라 오랜 시간일 거라 생각했는데, 시간이 빠르게 지나가서 아쉬웠다. 다음에는 제주도 한 달 살기를 해보고 싶다. 물론, 한 달 살기를 해도 시간이 너무 빠르게 갈 것 같다.

축구공

신희경

　나는 축구공이다. 나는 이제 봄이 되어 따뜻해지니 아이들이 나를 너무 많이 차서 너무 아프다. 난 오늘도 차이고 어제도 차이고 매일 차인다. 나는 이제 그만 차이고 싶다. 제발 나도 그만 좀 쉬고 싶어! 내일은 안 차이길 계속 빈다. 제발.... 나는 휴식이 필요해! 오늘은 웬일인지 주인이 나를 차지도 찾지도 않는다. 진짜 오랜만에 안 차이고 휴식이다. 근데... 무슨 일이 있었는지 주인은 돌콩만큼도 안 보이네. 그래도 아무리 날 죽어라 차고 굴린다고 하더라도 주인 없으니까 외롭긴 하다. 오 주인이다! 어 그런데, 발에 깁스하고 있네. 아니 근데 뭘 하고 다녔으면 다리가 저 모양 저 꼴로 변하냐. 어휴 이제 날 차지도 못하니 뭐 어쩔 수 없지 내가 큰맘 먹고 기다려준다! 한 달 뒤에 주인이 집에 없네! 어디 갔지? 난 그럼 오늘도 한숨 자야겠다. 어...? 뭐야 주인이었네 휴 주인은 깁스해서 날 못 차니 다행이야. 어 잠시만 왜 다리에 깁스가 없지? 어.... 설마 다 나아서 날 차려나? 설마 아니겠지.... 설마 하하 기대한 내가 죄지 아.... 나 제발 다시 쉬고 싶어!!!

노란 열매

신희경

  어느날 하늘에서 노란 열매가 뚝 하고 떨어졌다. 그 열매는 꼭 둥근 달 모양처럼 생겼다. 이 노란 열매를 까니 작은 별들이 나왔다. 그 별들은 하늘로 올라가더니 갑자기 하늘에서 펑! 하고 별 모양 폭죽처럼 터졌다. 다음날 나는 같은 길을 가다가 또 노란 열매를 발견했다. 하지만 이 노란 열매는 저번에 보았던 노란 열매처럼 둥근 달 모양처럼 생기지 않았다. 이 노란 열매는 망고처럼 생겼다. 또 이 노란 열매의 껍질을 까보니 부풀어 오르다가 펑 하고 터졌다. 그곳에서 과일바구니가 나왔다. 또 다음날 같은 길을 가다가 또 노란 열매를 발견했다. 이 노란 열매는 책모양 이였다. 이번에도 까면 책이 나올까 라는 생각을 하며 노란 열매를 까본다.

코어

심은유

저는 학교에서 코어라는 재난 영화를 봤습니다. 조금 복잡하지만 쉽게 설명하겠습니다. 주제는 지구의 멸망입니다. 처음 장면에 로봇으로 감정이 만들어진 사람들만 죽은 무덤들을 발견했습니다. 그러자 무덤들의 경비원이 죽은 사람을 보여주며 로봇의 감정으로 만든 사람 죽었다며 이유를 찾아 달라고 부탁했습니다. 그리고 얼마 후 부모와 아이가 새들을 보러 갔는데 새들이 방향을 잃어 벽에 부딪히고 건물에도 부딪히고 해서 바닥에 떨어져 죽고 있어서 부모와 아이는 재빨리 도망쳤습니다. 그리고 마지막 장면에 핵을 터트리고 나라를 살리겠다는 마음이 정말 감동적이었습니다. 그럼, 지금까지 코어의 재난과 지구의 멸망이었습니다.

행복 목욕탕

안녕하세요, 여러분? 전 얼마 전 행복 목욕탕을 보았습니다. 전 많은 생각을 하며 영화를 보았습니다. 그 덕분에 많은 것을 느꼈습니다. 제가 감동적인 장면은 마지막에 아즈미, 아유코의 아빠가 온 가족에게 부탁해서 피라미드 모양을 만들고 엄마에게 편지를 읽어주고 엄마는 죽기 싫다고 하는 장면이 감동적이었고 슬픈 장면은 엄마가 돌아가시는 장면이었습니다. 저도 강아지와 할아버지가 돌아가셔서 공감도 되고 더 생생하게 느껴집니다.

- 24 -

코 어

안소현

코어라는 영화를 봤다 코어라는 영화는 자기장이 없어져서 지구에 모든 전기가 없어지고 지구 멸망이 1년만 남은 상황에서 핵폭탄을 터트려서 지구에 핵을 회전해서 자기장이 다시 생겨난 쏘쏘앤딩이다 처음에 철새들이 장기장이 없어져서 다 죽어가는 장면이 생각난다. 이 영화를 통해서 철새라는 새와 철새가 자기장으로 움직인다는 걸 알게 되었다. 그리고 에드워드라는 분이 돌아가시는 장면이 기억에 남는다. 그리고 자신이 20년 동안 만든 잠수함이어서 자기가 죽어도 괜찮다고, 말한 대사도 기억난다. 근데 나 같았으면 나만 안 죽으면 되라는 마인드인데 남을 위해 희생한 게 멋졌다. 근데 만약에 그 잠수함에 우리 가족이 있었으면 우리 가족들을 위해서 내가 희생할 거 같다, 그래서 내가 이 영화를 보면서 알게 된 뜻은 어떤 [상황/인물] 것에 따라서 생각이 달라지는 거 같다, 그리고 돌고래 초음파 소리를 듣고 돌고래들이 잠수함 주변을 돌고 있었는데 거기서 해커가 그걸 발견해서 바다에 잠겨있는 잠수함을 꺼냈다 근데 어떻게 그걸 봤는지 신기했다 역시 아무나 해커 안 하는 거 같다, 그래서 이 영화를 보면서 우리 지구도 얼마 안 남았다고 생각했다.

성적표의 김민영

안소현

어제 성적표의 김민영이라는 영화를 봤다 이름이랑은 다르게 슬픈 영화 아니었다 그냥 영화가 웃겼다. 특히 정희라는 친구가 웃겼다가 그리고 민영이 집에서 책상이 날아서 펜으로 칠해주는 게 기억에 남았다. 그리고 정희가 찹쌀떡을 만드는 것도 기억에 남고 맛있어 보였다. 그리고 정희가 숲속에 있고 싶다고 해서 마지막 장면에 정희가 숲속에 있는 줄 알았는데 알고 보니 민영이었다 솔직히 무슨 말을 해주려고 하는지 모르겠다. 그리고 민영이가 사람은 노력, 열정을 할 때가 제일 아름답다고 한 게 기억에 남았다 민영이의 말을 듣고 어떤 유명인이 한 말이 생각난다, 사람은 재능이 타고나야 하는 게 아니라 노력이 타고 나야 한다는 말이 떠올린다.

코 어

양이수

화목한 아침 갑자기 사람들이 죽습니다. 이를 조사하기 위해 박사들을 데려옵니다. 1분도 안 돼서 피해자들의 공통점을 찾아낸다. 심장의 연관이 있는 기계가 문제였습니다. 그렇게 조사를 진행하는데 지구 내핵이 돌아가지 않아 자기장이 없어, 그렇게 많은 사람이 죽었던 것 정부는 곧바로 팀을 구성해 지구 내핵까지 가서 핵을 폭파하자는 작전이었죠. 한참 내려가고 있던 도중 자수정을 채취하려다가 한 박사의 심장박동이 멈추며 용암의 빠지고 만다. 불행은 끝나지 않았다. 한 부분이 손상되어 버려야 하는 상황이 왔는데 서지 박사가 자기 공책과 시간을 재는 것을 넘겨주고 죽고 만다. 불행은 끝나지 않는다. 시뮬레이션을 돌려보니 내핵을 돌릴 수 없다는 결론이 나왔다. 이 사실은 안 정부는 프로젝트 데스키니를 작동하기로 하였다. 하지만 시간이 필요 했던 박사들은 해커에게 데스키니를 찾아 멈추라고 하였고 해커는 작동을 멈추는 데 성공한다. 그 시각 박사들은 내핵을 돌리는 데 성공하는 방법을 찾았고 하지만 그 과정에서 박사 두 명이 더 죽었고 남은 두 박사는 빠져나오는 데 성공한다.

아이들은 즐겁다

사람은 언제나 감정을 느낀다. 이 영화를 보면 더욱더 영화 아이들은 즐겁다 에서 나오는 주인공 다이는 공부를 잘하는 아이였다 그런 다이를 질투하는 재경이, 재경이 는 학원을 몇 개씩 다니던 아이였다 하지만 학원을 안 다니는 다이한테 밀리는 걸 본 제경이 엄마는 커닝 의심을 했다. 불행은 지금부터였을까? 엄마를 자주 보던 다은이는 거짓말을 한다. 주말에 엄마아빠와 여행을 같다는 거짓말 친구들은 엄마가 입원했는데 어떻게 가냐며 의심했고 다은이의 씩씩한 모습은 온데간데없고, 수축해 있는 밖에 없었다. 며칠 뒤 다은이의 친한 친구 유진이의 할머니가 뺑소니로 사망했다는 이야기였다 다은이와 민호는 구석에서 울고 있던 유진이를 발견하고 유진이가 입을 연다. "내가 신기 한 거 알려줄까? 할머니랑 있을 때는 도움을 주지 않았는데 이제는 도움은 주려고 난리 친다?" 그 이유는 보험 때문일 것이다. 인간은 자신의 이익이 없으면 거래하지 않는다. 착한 사람이어도 자신의 이기적인 모습을 감추려고 하는 행동일 수도 있는 것이다.

코 어

지구 안에는 핵이 돌고 있습니다. 하지만 갑자기 핵이 돌아가지 않으면서 지구에 이상한 일이 생깁니다. 그걸 해결하기 위해 짐 스키 박사를 부릅니다. 짐 스키 박사는 이대로 계속 내버려두면 지구는 멸망한다고 합니다. 그래서 짐 스키 박사는 제일 강력한 무기인 핵폭탄을 동시의 터트려 많은 진동으로 핵을 돌게 해야 한다고 말합니다. 그렇게 여섯 명에 박사들이 모이게 됩니다. 그 박사 중의 한 명에 박사는 모든 것을 뚫어버리는 기계와 그 기계로도 절대 뚫지 못하는 돌로 배를 만들어 여섯 명에 박사들이 지구 안에 핵으로 들어가게 됩니다. 하지만 배에서 이상이 생겨서 슈트를 입고 해결하지만, 용암이 흘러와 한 명이 희생합니다. 이게 계속 반복되어 많은 박사가 희생하고 배터리가 다 떨어졌지만, 핵에 열을 사용하여 태양열 충전기로 어떻게 빠져나오게 됐지만 바다에서 빠져나오게 되어 열이 없었고 본부에서 위치를 추적해서 빠져나오게 됩니다. 여섯 명에 박사들은 두 명만 빠져나오게 되고 그렇게 영화가 끝납니다.

아이들은 즐겁다

양지율

다이라는 아이가 있었습니다. 다이는 늘 혼자였습니다. 왜냐하면 병원에 계신 엄마를 보고 싶어서 학교가 끝나면 바로 병원으로 갔기 때문이었죠 그러던 어느 날 받아쓰기 100점을 받은 다이는 애들한테 칭찬받았지만 매일 100점을 맞던 재경 이는 커닝한 거 아니냐며 다이를 의심했습니다. 그리고 우유를 던지며 다이에게 짜증만 냈습니다. 어느 날 다이는 엄마가 병원을 옮겨서 다이는 친구들과 청주로 향하게 되는데 출발하려다 재경이도 같이 가자고 하여 출발합니다. 하지만 버스를 잘못 타게 되고 다시 찾아갔지만 재경이의 엄마가 데려와서 제경이 는 집으로 가게 됩니다. 그러다 경찰한테 잡혔지만, 이야기를 듣고 병원으로 데려다줍니다. 하지만 엄마는 죽게 됩니다. 아빠는 다이에게 엄마에 편지를 주고 영화는 막을 내립니다.

워터파크 간 날

양진우

내가 언제 워터파크에 가려는데 너무 배고파서 식당에 들렸는데 동생이 화내서 조용히 하라고도 했는데 계속 짜증 내서 워터파크 가기 15분 남기고 집으로 돌아왔다. 그 워터파크로 다시 갔는데 사람이 너무 많아서 대부분 물에서 놀았다. 슬라이드가 너무 타고 싶어서 줄을 서는데, 앞에 있던 사람이 시끄럽다고 조용히 하라고 해서 조용히 하려는 순간 갑자기 앞에서 으하하! 라고, 아주 큰 웃음소리가 들려서 앞을 봤더니 그렇게 조용히 하라고 한 사람이 그러니 기분이 참 불쾌했다. 드디어 내 차례가 된 슬라이드를 타려는데 너무 무서워서 밀어주시는 분에게 살살 밀어달라고 했는데 눈을 감았다 뜨니 하늘을 날고 있었다. 무서워서 목소리도 안 나오고 그러는데 들리는 것이 있었다. 밀어주시는 분이 다리 벌리지 마세요! 라고, 말하니 안도의 한숨이 나오던 찰나에 물에 떨어져 물을 먹었다. 무슨 생각도 안 하고 화장실로 달려가서 물 뱉고 나서 나오는데 끈적끈적한 것을 밟았는데 그것은 내 콧물이었다.

나쁜 말

양진우

엘리베이터에서 어떤 아저씨께 인사를 드리려고 했는데 타이밍을 놓쳐서 인사를 못 했는데 갑자기 아저씨께서 요즘 애들은 싹아지가 없어 이러셔서 나는 내릴 때 인사하려고 했는 데를 머릿속에 도배해서 갑자기 내릴 때 하려고 했어요 라고 했는데 어디서 어른이 말하는데 끼어들어! 라고 해서 엘리베이터 문이 열리자마자 인사 할 틈도 없이 뛰어갔다. 유치원 때쯤 모르는 형들이 엄청난 욕을 하면서 싸우고 있길래 가서 싸우지 마세요. 라고 하니 형들이 웃다가 또 싸우길래 도망쳤다.

의 자

오윤우

난 의자다. 매일 난 인간을 바치고 있다. 하지만 사람들은 아무렇지 않게 쓴다. 나는 밤일 때가 외롭다. 다르게 생각하면 내 휴식 시간이 다 그래도 밤마다 내 친구인 책상과 얘기를 나눈다. 난 친구가 책상뿐이다. 매일 함께 있기 때문이다. 난 가끔 나와 책상 중 누가 더 힘든지 고민한다. 책상은 인간이 때려도 항상 웃고 있다. 어느 날 어떤 인간이 내 위에서 뒤로 까딱까딱 움직이다 뒤로 넘어졌다. 그 인간이 넘어지자마자 다른 인간들이 달려와 괜찮냐고 묻고 넘어진 아이는 아프다고 울었다. 그 아이보다 내가 더 아픈데...난 등이 깨질 것 같았다. 다시 밤이 왔다 내가 책상에게 오늘 있던 일을 말했더니 책상이 위로 해 주고 괜찮냐고 물었다 난 감동하였다. 인간들은 나와 책상이 얼마나 인간을 편리하게 해주는지 잘 모를 것이다. 난 책상이 없었다면 엄청 외롭고 사는 이유를 몰랐을 것이다. 하지만 책상과 지내니 삶에 이유를 알았다. 왜냐면 힘들고 어렵고 짜증이 날 때도 있지만 기쁘고 행복하고 날아갈 것 같이 즐거울 때도 있어서 그렇게 생각한다.

공원에서

오윤우

난 친구랑 초등학생 때 공원에 곤충을 잡으러 갔다. 그렇게 걷고 있다가 메뚜기 한 마리가 내 발에 붙었다. 난 그 메뚜기를 빠르게 잡았다. 근데 그 메뚜기 입에서 검은 먹물 같은 액체를 내뱉었다. 그 액체는 내 손에 묻었다. 손에서 이상한 냄새가 났다 다신 메뚜기를 안 잡기로 다짐했다. 그리고 1년쯤 뒤 다시 그 공원에 갔다. 친구와 자전거를 타다 배고파졌다. 옆에 있던 식당에서 식사하고 아이스크림을 사고 횡단보도를 건너려는데 신호등이 초록 불로 11초 남기고 깜빡이고 있었다. 횡단보도의 거리가 글 멀지 않아서 친구와 같이 뛰었다 그때!!! 초록 불 인데 어떤 차가 달려오고 있었다. 그 차는 내 발을 타이어로 밟았다. 아이스크림도 떨어졌다. 운전자는 급하게 내렸고 엄마도 왔다. 그땐 일요일이라서 문을 연 병원이 많이 없었다. 다행히 문을 연 병원이 있어 잘 치료했다. (지금 생각하면 떨어진 아이스크림이 더 아깝다.

환경오염(지구 온난화)

윤원상

우리는 쓰레기를 길가에 많이 버린다. 쓰레기가 환경을 오염시킨다. 또 다른 오염시키는 물질이 소 방귀다. 우리가 길가에 버린 쓰레기와 소 방귀가 환경을 많이 오염시킨다. 그래서 환경오염(지구 온난화) 이(가) 생긴다. 그래서 북극에 빙하가 녹는다. 그래서 북극곰에 살 곳(빙하) 이(가) 없어지고 있습니다. 그래서 우리가 노력을 해야 합니다. 무슨 노력? 쓰레기를 줍는 노력! 일단 쓰레기를 줄이는 노력은 간단하고 쉽습니다. 일단 먼저 쓰레기를 줄이려고 쓰레기를 줍는 캠페인을 전 세계적으로 하고 있습니다. 나도 쓰레기 줍기 캠페인을 하고 싶다. 그러면 내가 버리지 않은 쓰레기도 주워서 분리수거를 하면 된다.(집에 가서 집 쓰레기통에 버려도 된다.) 또 집에 쓰레기가 많이 쌓였다. 그러면 쓰레기장에 가서 버리면 된다. 꼭 알맞게 버려야한다.(*예* 플라스틱은 플라스틱 통 에 버려야 한다.) 다르게 버리면 더 환경을 오염시키기 때문이다. 그러니 꼭 쓰레기장 (분리수거장)에 가서 분리수거를 할 때는 꼭 알맞게 버려야 한다. 그럼 환경오염을 줄이는 방법 첫 번째 방법은 끝 또 환경을 오염시키는 물질은 소 방귀입니다. 소 방귀를 줄이는 방법은 첫 번째 방법 보다 더 쉽고 간단하다. 그냥 소를 많이 죽이면 된다. (소를 많이 죽이는 방법은 내 개인적인 생각이다.)

행복 목욕탕 영화 감상문

나는 12월 11일 월요일에 영화 행복 목욕탕이라는 영화를 봤다. 등장인물은 엄마(2명)(가짜엄마와 진짜엄마) 딸(2명)(딸 첫째 딸 둘째) 아빠 탐정, 탐정 딸 (가짜)엄마의 엄마 한 여행객이 나온다. 가장 기억에 남는 대사는 (가짜)엄마가 딸(첫째)에게 너 내 친딸 아니야 라로 말했을 때다. 가장 기억에 남는 슬픈 대사도 (가짜)엄마가 딸(첫째)에게 너 내 친딸 아니야 라고 말했을 때다. 가장 충격적인 대사도 (가짜)엄마가 딸 (첫째) 에게 너 내 친딸 아니야 라고 말했을 때다. 가장 웃긴 대사는 없다. 가장 어이없는 대사는 없다. 가장 기억에 남는 장면은 (가짜)엄마 가죽을 때다. 가장 기억에 남는 슬픈 장면도 (가짜)엄마가 죽을 때다. 가장 기억에 남는 감동적인 장면은 (가짜) 엄마를 위해 나머지 사람들이(등장인물)(들이) 피라미드와 스핑크스를 몸으로 만들었을 때다. 가장 기억에 남는 어이없는 장면은 아빠가 딸(둘째)를 대려 왔을 때다. 가장 기억에 남는 기쁜 장면은 (가짜)엄마 와 딸(첫째) 와 딸(둘째) 와 아빠가 다시 목욕탕을 다시 열었을 때다.

동 생

이서우

옛날에 동생들이랑 밖에서 놀다가 친구들을 만나서 친구들이랑 놀고 있었는데 내가 동생들을 버리고 친구들하고만 놀았다. 그래서 동생들을 버리고 말았다. 나는 정신없이 놀다가 뒤늦게 동생들이 없어졌다는걸 알았다. 그래서 나는 급히 동생들을 찾으러 다녔다. 마침내 나는 동생들을 찾았다. 동생들은 형이 같이 안놀아줘서 집으로 갔었다. 나는 내 감정 컨트롤을 잘 못해서 동생들에게 엄청 화를 냈다. 집으로 돌아와서 아빠가 동생들을 왜 안놀아줬냐고 나를 혼냈다. 그래서 나는 발바닥을 맞고 있었는데 갑자기 동생이 와서 아빠한테 자기가 멋대로 집에 왔다고 말했다. 그 말을 듣고 아빠는 나를 안때리고 내동생을 때리셨다. 나는 내동생이 맞는걸 도저히 못 참아서 아빠한테 가서 사실 제가 동생들을 잃어버렸다고 말했더니 아빠가 또 나를 때리셨다. 그래서 동생이 형 대신 자기를 제발 때려달라고 했다. 그래서 아빠는 결국 동생을 때렸다. 그리고 동생이 방에서 잠들었는데 발바닥이 빨갛고 살이 까져 있었다. 그래서 나는 동생한테 왜 나 대신 맞았냐고 했더니 동생이 형이 맞는건 싫어서 형 대신 내가 맞았다고 해서 동생한테 미안하다고 했고 맛있는 걸 사줬을 때 동생이 웃어서 다음부턴 동생을 잘 챙긴다고 말했다.

자유를 갖고 싶다

이서우

나는 다른 사람들한텐 있지만 나에게 없는 것이 한 가지 있다. 그것은 바로 자유다. 다른 사람들은 그들이 하고 싶은 대로 할 때가 많이 있을 것이다. 나는 어렸을 때부터 영어를 배우고 집안일을 배우고 요리, 동생들 돌보기, 골프 등 부모님이 날 가르쳤다. 다른 사람들은 핸드폰 게임하고 놀고 먹고 다 했었다. 그래서 나는 그들이 부러웠다. 나도 가끔은 내가 하고 싶은 대로 하고 싶지만 잘 말하지 못해서 못할 때가 있다. 하지만 날 자유롭게 해줄 것이 있다. 그건 바로 나의 하나뿐인 동생들이다. 나의 자유는 바로 동생들이었던 것이다. 동생들이 있으면 나는 무엇이든 할 수 있다. 그래서 나는 동생들과 자유롭게 무엇이든 할 수 있게 되었다. 그리고 나에겐 또 한 가지의 자유로운 것이 더 있다. 바로 친구들이다. 나의 자유를 만드는 것이 바로 친구들이다. 나는 친구들과 놀 때 내가 미처 못해본 것을 친구들이 해준다. 그래서 나는 학교에 와서 친구들과 신나게 논다. 하지만 의견이 맞지 않아 싸울 때도 많이 있지만 금방 화해하고 다 푼다. 나는 오늘도 친구들과 놀러 가야겠다. 그리고 와서 동생들을 놀아줘야겠다. 나는 행복하다.

완주 화암사 극락전

완주 화암사 극락전이란 국보 제316호 불명산 시루봉 남쪽에 있는 절로, 본사인 금산사에 딸린 절입니다. 절을 지을 당시엔 자세한 기록이 없으나, 원효와 의상이 유학하고 돌아와 수도하였다는 기록을 보아 신라 문무왕 이전에 지은 걸로 추측되고 있습니다. 극락정토를 상징하는 화암사 극락전은 1981년 수리 때 발견한 기록에 따르면 조선 선조 38년(1605)에 세운 것으로 되어있습니다. 앞면 3칸, 옆면 3칸 크기의 지붕은 옆면에서 볼 때 사람 인자 모양을 한 맞배지붕으로 꾸며 의외로 소박하고 작습니다. 건물 안쪽 가운데 칸 뒤쪽에는 관세음보살상을 모셨으며, 그 위에 지붕 모형의 닫집을 만들어 용을 조각하였습니다. 추가로 화암사 극락전은 우리나라에 단 하나뿐인 하앙식 구조라고 합니다. 하앙식 구조란 일반 구조보다 처마를 더 길게 내밀 수 있게 한 구조입니다. 중국이나 일본에선 많이 볼 수 있는 구조이지만, 우리나라에선 유일한 것으로 목조건축 연구에 귀중한 자료가 되고 있다고 합니다.

돌의 모험

임지우

나는 돌이다. 나는 모험을 다닌다. 일어나면 어디 있을지 모른다. 나는 어디 있던 수많은 친구가 있다. 어느 날 친구와 굴러다니다 친구가 사람 발에 치여 부서졌다. 하지만 슬퍼할 새도 없이 또 치였다. 이번엔 몇 번 가본 학교라는 곳이다. 몇 시간이 지나니 아이들이 나와서 날 또 찼다. 처음 보는 어둑어둑한 곳이다. 좁다. 점점 좁아지는 것 같다. 무섭다. 공포감이 밀려온다. 난 이런 무서운 곳에 지구가 종말 할 때까지 이곳에 있는 걸까? 공포감이 밀려오던 사이 난 사람 발에 치였다. 안도했다. 내가 도착한 곳은 내가 태어난 난예뻐 라는 숲이다. 아주 큰 돌에서 내가 부서져 나온 곳이다. 그리웠던 향기, 그리웠던 친구들까지 그 모든 것이 있는 곳. 모험은 시작해서 돌아오는 것까지가 모험이기 때문이다. 행복함이 넘치는 곳, 활기찬 곳, 스산한 곳, 무서운 곳까지 여러 가지를 겪는 것도 모험이니까. 나는 근처를 지나가던 유니콘에게 치여 부서졌다. 난 이제 돌이 아니고 흙이지만 앞으로도 모험을 계속할 거다.

강낭콩

장윤진

"쏘옥!" 우리 모둠의 강낭콩이 드디어 모습을 드러냈다. 얼마나 예
쁘고 탐스럽게 자랐는지 키도 가장 크다. 근데 이게 무슨 일이람?
키가 너무 커서 줄기가 휘어져 있다. 그래서 한 친구가 조이개와
나무젓가락으로 고정을 해주었다. 다 큰 강낭콩으로 무엇을 하지?
고민했지만 선생님은 저 정도는 양이 너무 적어서 구경밖에 하지
못한다고 하셨다. 그런데 옆 모둠의 식물인 방울토마토 2개 중 하
나가 아주 조그마한 줄기로 인사를 건넨다. "안녕! 만나서 반가워!"
나는 그저 웃음을 지어본다. 나도 전에 방울토마토를 키워본 적이
있는데 물을 너무 많이 주어서 썩어서 죽었기 때문이다. 이 방울토
마토는 얼마나 살 수 있을까. 선생님이 말씀하시길, 방울토마토가
얼마나 열릴진 모르겠지만, 나중에 자라면 먹을 수는 있단다. 우와!
그렇게만 된다면 설사 1개가 열린다고 해도 내가 첫 번째로 먹을
거다. 아닌가? 선생님 먼저 드셔야 하나? 아무튼 우리 반의 식물이
맛있고, 곱고, 멋지게 자랐으면 좋겠다. 나중에는 방울토마토도 열
리고 강낭콩도 열릴 거다. 그리고 많은 날이 지난 후…. 물주기 담
당이었던 친구가 전학을 갔다. 그래서 물 주는 것도 다른 아이가
하게 되었다. 그래서 물 조절이 잘되지 않았다. 그리고 우리 모둠의
식물은 곰팡이가 펴서 죽었다. 방울토마토 하나는 끝내 싹이 피지
않았다. 사실 싹이 폈었는데 누군가가 그 소중한 싹을 뽑아버렸다.

어떻게 그런 일이! 그리고 또 다른 방울토마토는 우리 모둠과 같이 썩어 죽었다. 다른 강낭콩들도 마찬가지.... 역시 식물을 키우는 건 어려운 일인 것 같다. 아무리 움직이지 못하고 말을 못 하는 식물이라도, 생명은 소중한 것 같다.

도장

장윤진

나는 도장이 너무너무 싫다. 나는 학교에서 글쓰기 수업을 한다. 그런데 내가 쓴 글에 선생님은 아주 가끔 도장을 찍어주신다. 얼마 전 나는 그 "도장"의 뜻을 알게 되었다. 그 도장의 뜻은 과연 사실만 늘어놓은 0점짜리 글이라는 뜻이었다. 아니나 다를까 내가 쓴 17편의 글 중 6편은 도장이 찍혀있었다. 간신히 반띵은 면했지만 "간신히 피했다"라는 생각 때문에 더 발전해야겠다는 생각이 드는 것 같다. 지금, 이 글도 "멋지고 잘생기고 똑똑하시고 그냥 모든 면이 으뜸인 임정호 선생님의 도장이 찍힐 것만 같다. 솔직히 말하면 글쓰기는 선생님의 조언을 읽는 맛으로 쓰는 건데. 선생님의 도장, 작아서 더 싫은 것 같다. 내 급우도 이 도장을 혐오한다. 이유는 같다. 그 친구도 조언을 읽는 것을 좋아하는데, 조언이 달리지 않으면 속상해한다. 그 친구와 내가 같이 도장을 받은 적이 있었는데 항의하러 갔던 기억도 있다. 나는 글쓰기를 좋아하지만, 조언이 달리지 않으면 좋아하지는 않는다. 그럼 나는 커서 글쓰기를 하지 않을까? 모르는 일이다. 하지만 조언이 좋은 건 확실하다.

학교

장윤진

 학교는 왜 가는가? 집에서 한 과목씩 1시간만 공부해도 따라잡을 수 있는데, 그리고 성장기 아이들은 적어도 10시 전에는 자야 하는데 9시에 잔다고 해도 8시에 일어나면 11시간을 잔다. 그런데 성장기 아이들은 적어도 12시간은 자야 하는데 학교가 일찍 시작하기 때문에 잠을 못자는 현상도 발생한다. 그리고 급식시간에 급식 자리에 앉을 때 여러 사람이 앉고 또 앉았던 자리에 앉는다는 것은 소독을 하더라도 전염성 질병이나 감기 등이 유행하면 매우 비위생적이다. 전염성 질병이나 감기가 유행하지 않더라도 간혹 소독이 되지 않는 자리도 있고, 숟가락이나 젓가락도 여러 번 사용한 것이고, 세척을 어떻게 하는지는 모르겠지만 이물질이 묻을 때도 있다. 그리고 이 과목들은 왜 배우는지 모르겠다. 수학은 계산기를 쓰면 되고, 국어는 모국어여서 배울 필요가 없고, 영어나 중국어 같은 외국어는 해외로 갈 일도 없고 해외로 여행을 가거나 출장을 가는 경우에도 번역기를 이용하면 된다. 사회는 살아가면서 천천히 배워가면 되고, 과학은 배워도 과학자가 될 것이 아니라면 쓸 데가 없다. 또 음악도 전공을 할 것이 아니라면 배워도 쓸 데가 없다. 도덕도 배워도 실제로 실천하며 살아가는 사람은 거의 없다. 하루에 5-6시간씩 있는 것이 쓸 데가 없다. 학생들도 지루한 학교라고 생각하며 책상에 앉아 있고 도서관에서 책이나 빌리는 곳이라고 생각할지도 모른다. 학교라는 교도소에 선생님이라는 간수에 번호라고 사람마다 번호를 매기며 교복이라는 간수복을 입히는 학교, 가야만 하는 걸까.

탕 후 루

장윤진

나는 탕후루를 정말 좋아한다. 탕후루는 꼬치에 꽂은 과일을 설탕물을 입혀서 냉장고에 얼려먹는 간식이다. 달달한 설탕 코팅과 맛있는 과일이 어우러져 환상스러운 맛을 자아낸다. 그만큼 내 또래 초등학생들에게 인기가 많은 간식이다. 하지만 몇 달 전까지는 최소 전주에는 가야 맛볼 수 있는 희귀한 음식이었다. 심지어 요즘에 물가가 오르고 있는 과일, 설탕을 쓰니 당연하게도 비싸다. 종류는 딸기, 포도, 귤, 체리, 토마토 등등이 있는데 철마다 나오는 종류가 달라서 전 메뉴가 한정판이다. 그래서 인기가 많은 걸지도...이번에 우리 동네에 "왕가 탕후루"라는 인터넷에서 아주 유명한 탕후루 가게가 생겼다. "왕가 탕후루"는 수많은 탕후루 가게에서도 탑이다. 유튜브같은 동영상 플랫폼에서 가장 유명하다. 그 효과가 대단해서 탕후루의 대표라고 불러도 이상할 게 없다. 근데 그런 유명한 곳이 여기 같은 시골에 생기다니! 나도 유행을 따라 탕후루 가게로 가봤다. 저녁 5시쯤에 갔는데도 웨이팅이 10분 정도 있었다. 탕후루가 유명하긴 한가보다. 드디어 웨이팅이 끝나고 주문을 했다! 주문한 탕후루 "블랙 사파이어 탕후루"는 크기도 적당하고 달콤한 맛이었다. 현재까지도 원픽이다. 다음은 귤 탕후루! 귤 탕후루는 새콤한 맛이 있어서 내 취향은 아니었다. 근데 제철이 아니어서 그런 걸

수도 있기 때문에 나중에 다시 먹어볼 생각이다. 둘 다 가격은 3000원! 양에 비하면 비싼 편이었다. 그 뒤에는 딸기 탕후루, 체리 탕후루, 샤인머스켓 탕후루, 애플 포도 탕후루를 먹어본 적이 있다. 다 대체적으로 맛있었지만 체리 탕후루에 있는 씨가 너무 컸던 것 같다. 또 양이 점점 작아지는데 가격은 변하지 않고 너무 비싼 것 같다. 그래서 요즘에는 사먹지 않는다. 어디에 놀러갔을 때나 기념 등으로 한두개 사먹는건 괜찮지만 평소에 간식으로 사먹는 건 좀 아닌 것 같다. 내 용돈이 일주일에 5000원인데 일주일에 1번밖에 못 사먹는다니...남는 돈은 2000원, 요즘 물가에는 젤리 한봉지밖에 사먹지 못한다. 만약 5일 내내 사먹으려면? 3000x5=15000원이나 든다. 일주일에 요 ㅇ돈이 15000원은 너무 많다. 또 탕후루는 "설탕물"을 얼린 간식이니까 칼로리가 엄청나다. 맛있다고 매일 먹으면? 돈도 버리고 건강도 악화되고 만다. 탕후루 가게에선 탕후루 가격을 내려주면 좋겠다.

다수를 위한 소수의 희생은 행복한걸까

장윤진

딜레마. 아주 선택하기 어려운 질문을 일컫는 말이다. 대표적인 딜레마로 예를 들어보겠다. "당신은 기차 운전사이다. 그런데, 앞에 있는 철도에 어린아이 3명이 장난을 치며 놀고 있다. 기차 안에는 승객들이 타고 있고, 누구인지 확인할 새 없이 빠르게 선택해야 한다. 또, 이제 와서 멈추기엔 너무 늦어둘 중 하나를 선택해야 한다. 어린아이 3명을 죽이고 다수의 승객과 내가 살거나, 기차를 돌려서 소수의 어린아이를 살리고 나와 승객들이 죽거나. "참 어려운 질문이다. 이 문제의 답은 없다. 하지만 조건에 조건을 더해서 더 복잡하게 생각해 볼 수는 있다. 1. 만약 앞에 있는 아이가 내 자식과 내 자식의 친구들이라면. 2. 만약 기차 안에 탄 승객 중 나의 부모님이 계신다면. 3. 만약 나의 부모님이 시한부 인생을 살고 계신다면. 4. 만약 내 자식이 심장병이 있어 위태롭다면. 5. 만약 승객들이 아이들을 죽이자 외친다면. 물론 실제로 이런 상황이 왔을 때 당신의 판단과 지금의 선택은 다를 수 있습니다. 닭이 먼저일까요, 달걀이 먼저일까요? 다수가 먼저일까요, 소수가 먼저일까요?

놀이동산

정라은

저는 제 친구랑 친구 동생이랑 제 언니랑 언니 친구랑 놀이동산을 친구 차를 타고 언니랑 같이 갔다. 그리고 언니랑 언니 친구랑 바이킹을 타러 가서 저도 무서운지 모르고 언니들이랑 제 친구랑 같이 맨 끝에 탔는데 제 친구는 울고 저는 웅크리고만 있었는데 언니들은 두 손 들고 있어서 신기했다. 그래서 친구는 그 뒤로 바이킹을 절대 안 탄다고 했다 그다음 탄 거는 회전 그네였다. 회전 그네는 친구가 재미있어하였다. 그래서 친구랑 저는 회전 그네만 타고 언니들은 바이킹만 탔다. 그래서 친구랑 저는 배가 고파져서 같이 라면을 먹고 아이스크림을 먹었다. 그리고 소화 시키고 또 놀이기구를 탔다 정말 재미있었고 다음에 또 같이 가고 싶다.

아이들은 즐겁(지 않)다

진미성

어른과 아이 모두 자기가 가장 힘들다고 생각하지만 물론 누가 더 힘들다고 말할 순 없다.

'아이들은 즐겁다' 의 다이, 민호, 유진, 재경, 시아 이렇게 5명의 아이가 나온다. 다이는 아픈 엄마와 떨어져 (새) 아빠와 함께 살고 있고, 민호는 절친 유진이가 떠났다. 유진이 역시 절친 민호, 다이 를 두고 이사를 가버렸다. 재경인 자기가 학원도 많이 다니고 공부 도 자기가 반에서 일 등 이였는데 다이가 일등을 가로채서 화가 나 는데, 거기에 엄마는 무조건 일등만 좋아해서 짜증이 난다. 그래서 친구들과 놀지 못한다. 하지만 아이들이 학원도 빠지고 청주 여행 을 시작한다.

약간의 문제가 있었지만, 아이들은 끝까지 함께하고 싶은 마음이 있었던 것 같다. 그런데 가면 갈수록 아이들이 뿔뿔이 집으로 돌아 가 다이 혼자 남아서 엄마가 계시는 요양원에 도착하지만, 엄마는 다이를 볼 수도 없는 상태로 가만히 침대에 누워 숨만 쉬고 있고 다이는 가만히 엄마 옆에 앉아 있다. 다이가 집으로 돌아갔을 때 아이들은 전보다 활기찬 얼굴이다. 나는' 아이들은 즐겁다' 가 끝날 때 아이들 사이가 더더욱 좋아진 것 같았다.